Instantanés

Du même auteur

Chez le même éditeur
D'une noirceur à l'autre, nouvelles, 2004.
Un Valentin à la fête des Morts, roman, 2003.
Les allées lueurs, poésie, 2002.

Chez d'autres éditeurs
Courant de l'après-midi, poésie, Écrits des Forges, 2004.
Dans le souffle de l'été, roman jeunesse, Le loup de gouttière, 2002.
Les sortilèges de la pluie, roman jeunesse, Le loup de gouttière, 2001.
Orchestre fugitif, poésie, Écrits des Forges, 1999.
Autoroute du soir, roman, Vents d'Ouest, 1998.
Des rêves que personne ne peut gérer, poésie, Écrits des Forges, 1996.
Le chantier des étoiles, roman, Vents d'Ouest, 1996.
Un radeau au soleil, poésie, Écrits des Forges, 1994.
Parfums des rues, poésie, Écrits des Forges, 1993.
Ce qui bat plus fort que la peur, poésie, Écrits des Forges, 1991.
Un scintillement de guitares, poésie, Écrits des Forges, 1988.
Le chant des sirènes, poésie, autopublication, 1987.
Rock Desperado, poésie, Écrits des Forges, 1986.

JEAN PERRON

Instantanés

Poésie

Collection « Fugues/Paroles »

L'INTERLIGNE

Catalogage avant publication de Bibliothèque et Archives Canada

Perron, Jean, 1960-
    Instantanés / Jean Perron.

(Collection Fugues/Paroles)
Poèmes.
ISBN 2-923274-11-3

    I. Titre. II. Collection.

PS8581.E7465I68 2006   C841'.6   C2006-900558-3

Les Éditions L'Interligne bénéficient de l'appui financier du Conseil des Arts du Canada, de la Ville d'Ottawa et du Conseil des arts de l'Ontario. Nous reconnaissons l'aide financière du gouvernement du Canada par l'entremise du Programme d'aide au développement de l'industrie de l'édition (PADIÉ) pour nos activités d'édition.

Les Éditions L'Interligne
261, chemin de Montréal, bureau 306
Ottawa (Ontario) K1L 8C7
Tél. : (613) 748-0850 / Téléc. : (613) 748-0852
Courriel : communication@interligne.ca

Œuvre de la couverture : Jean Perron
Conception de la couverture et mise en pages : Arash Mohtashami-Maali
Correction des épreuves : Andrée Thouin
Distribution : Diffusion Prologue inc.

Isbn 10 : 2-923274-11-3
Isbn 13 : 978-2-923274-11-9
© Jean Perron et Les Éditions L'Interligne
Dépôt légal : premier trimestre 2006
Bibliothèque nationale du Canada
Tous droits réservés pour tous pays

L'homme n'a su trouver de science qui dure,
Que de marcher toujours et toujours oublier.

Alfred DE MUSSET

LES BALCONS DÉSERTS

quand dans les collines
où la ville rend l'âme
le soleil du printemps dessine des rosiers
à la lisière du jour et de la nuit

quand les nuages deviennent des cœurs saignants
parmi les arbres dégoulinant
de vert tendre

et que dans l'air vif
et la clarté du soir
les grenouilles chantent
leurs accouplements

quand l'été réinvente l'amour
dans les toisons de feuillages à l'horizon

quand la ville devient rivière de perles
sur la peau bronzée des collines

quand avec le soleil s'étirent les cigales
dans la moiteur du crépuscule

et que la lune
marguerite effeuillée
se laisse butiner par des étoiles bleues

quand l'automne
le soir a un moment de douceur

fenêtre ouverte
je me rappelle

et j'écris
des saisons et des lieux
disparus de mes trajets

j'exhale un feu
de couleurs
de sons
de parfums

et les balcons restent déserts

Tout ce qui passe
et m'entraîne

Métaphysique d'un pont

le temps file à vol d'abeille
chaque instant martèle sa vérité

j'habite une faille céleste
un nid de nuages devenus pierres

sous la fuite des choses et des êtres
l'ossature du monde est mon toit

les astéroïdes sillonnent mes neurones

j'ai oublié le début de l'univers
et je n'en verrai jamais la fin

L'irrépressible

il y a des jours
où je n'ai envie de parler
que par la bouche de mes poèmes

les sirènes battent la mesure
de l'impossible

des regards s'échappent entre les barbelés

sur la pierre
mouillée de sueur
s'allonge
l'ombre diffuse d'une aile de corbeau

un soleil livide me demande une cigarette

avec mes armes de cristal
je circule
dans le ventre d'une ville engloutie

sur les lignes brisées des passerelles
la buée laisse des taches de lumière

on ne dit pas à la beauté de se taire

Cimetière et soleil

pourquoi chercher les flammes
là-bas au loin
l'incendie est ici
entre les murs des horizons
qui brûlent sur les visages

la chaleur de juillet pèse de tout son poids
sur le cimetière en fin de journée

marchant dans mes pensées
j'ai retrouvé les disparus
sur l'herbe douce
écrasée par la lumière

la mort s'est faite légère
comme un souffle de fraîcheur
venu de nulle part

il faut savoir rêver pour vivre la nuit
ou monter à bord d'un cauchemar
en direction du soleil
pour remonter le courant

jusqu'à sa source
jusqu'au feu

je regarde la mémoire dans les yeux
des yeux lourds
mais quand elle sourit
tout s'illumine

avec le soir ensoleillé de l'été

Des oiseaux dans les nuages

ces oiseaux
leurs cris du début du monde

les phares palpitent
dans la promesse d'un orage
les nuages rasent le sol et les murs
le vent se fait menaçant

mais d'où vient donc cette étrange douceur

au fond de l'air
au fond des choses

et dans tout ce qui passe
et m'entraîne

rue blafarde
une balafre sur l'horizon

volatilité
ciel fumigène
est-ce le jour ou la nuit

non ne regarde pas ta montre
elle ne t'apprendra rien

des oiseaux
ou des grincements
de la terre qui tourne
du ciel qui craque

des essieux d'autobus leur font écho

être n'est possible
que dans le bourgeonnement des fissures

Ce qui couve dans l'orage

les rides du paysage se creusent
la lumière vole en éclats de ciel

un monstre peut se cacher derrière un visage
défiguré par les griffes de la pluie

j'entends la terre s'abandonner

coquille éclatée

je me demande
ce qu'on trouverait à l'intérieur
si cette planète était un œuf

Des pas de lumière

des notes de sueur font des vagues
sur le cours linéaire
des cœurs de pierre

et ces vagues lèchent les heures brisées
par les larmes
puis montent en volutes d'écume
pour envelopper nos gestes
d'un halo intemporel

nous dansons
sur la piste d'une étoile effilochée

c'est vrai
nous sommes poussière
mais cette poussière est pollen
nous transportons la magie du souffle

nos corps enracinés à la course des astres
des époques et des saisons
sur l'eau des rêves et de la mémoire

Vibration

le long des rues et des rivages étoilés
des signes apparaissent

sous la peau du temps
l'eau et le feu réunis

pendant qu'on reste enfermé
dans sa vie
comme dans la boîte noire
d'un avion écrasé
et qu'on n'a rien vu
rien senti
rien entendu

la vraie fête fait son entrée dans le monde
en douce
sans effraction

au cœur de chaque instant

LES PORTÉES DISPARUES

Chausser l'infini

les vieux bas
déchirés par la trop longue errance
qui donc pourrait les repriser
au fil d'Ariane
quand plus un seul chemin
ne mène quelque part

on a beau aller dans toutes les directions
les pas n'acquièrent pas pour autant de sens

je marche pieds nus
dans les feuilles que le jour a perdues
puis je repose ma tête endolorie
sur les genoux de la nuit

et la terre se rebranche aux étoiles
aux astres d'un meilleur sort

Silence incendié

la brise d'automne déshabille les arbres
en les faisant danser

à quoi pensent les feuilles
en s'envolant par grandes brassées
rêvent-elles de suivre les oiseaux
en route vers d'autres contrées

migration de la lumière
la brise d'automne un chant de signes
une musique de coloris
sur des portées disparues

l'air se refroidit
les mains dans les poches
on cherche de la chaleur
et peut-être autre chose

lorsqu'on tente de les caresser
les feuilles mortes s'effritent sous les doigts

on s'éprend pourtant
de cette brise d'automne
à la fois porteuse et briseuse de beauté

dans le silence incendié

L'évanoui

le vent s'est évanoui
plus rien ne balaie les instants
sur le visage des rues
quelques vitrines jettent une faible lueur
on dirait des yeux fatigués
dont la flamme ne s'éteint pas complètement

les pensées ont des noms qui font mal
dans des espaces vides de toute présence

les lampadaires
des lampions
le quartier
un sanctuaire à ciel ouvert

un magma de poussière figée

l'air s'anime
un corps bouge
en proie aux caresses d'une lune brisée

quelqu'un déambule
au-dessus de son ombre
incendie sans foyer

plus troublants que ceux des morts
les fantômes des vivants

Travail au noir

des trains routiers jettent une ombre sur ma fenêtre
le regard aussi vide qu'aveuglant des phares
la vie brûle parmi les odeurs de la terre
la fleur de nuit aime un oisillon des décombres

vois-tu pagayer la lune
entre les rochers du ciel d'octobre
émaillé des miettes de nos destins

chaque petite lumière
une histoire
oubliée

sur la houle d'un paysage noir
je marche sans qu'on ne m'entende

lampe solitaire d'une véranda

chaque mouvement s'étend à l'infini
pointe vers un chemin nu

les morts et les vivants caressent un même rêve

Sur les ondes du temps perdu

parmi les intempéries
des airs circulent
bribes de souvenirs
au cœur des villes
dans les veines des forêts

les auditeurs bercent leur jeunesse
comme un enfant mort

il n'y a pas que sur les lieux du crime
qu'on revient
sur les lieux du bonheur aussi

et quand les lieux se vident
de leur histoire
de leur sang
quand les lieux disparaissent corps et biens
parfois leur énergie reste dans l'air
et voyage avec pour unique bagage
une musique
quelques mots
des images gravées dans les sons

une âme enfermée
dans la bande lumineuse d'une radio
comme dans une lampe magique
oubliée sur la jetée
avec tous nos meilleurs vœux

Le train de minuit

au détour des époques
le train de minuit chante encore
j'ai vu
des collines étoilées surgir ses feux
un soir de juillet
à la pleine lune

dans la vapeur de la nuit d'été
il traversait les âges de la vie
le train de minuit
comme ma fille et moi
marchant sur la plage

la mélodie d'un instant
filant les lueurs des siècles

rien ne s'interposait
entre le moment et sa plénitude

sur le sable
l'ombre des conifères
sur le lac
quelques reflets allongés

sur les rails
la palpitation du train
son appel d'oiseau de nuit
ses braises roulantes au clair de lune

l'odeur des feux de joie
et de l'eau au repos

les rêves ne se vivent qu'au présent
à partir de presque rien

VISAGES FILANTS

Expédition

dans l'air trop froid
les heures ont mal aux branches
bourgeons en quête de chaleur
pour éclore

à la dérive des rues
le ciel humecte les visages
comme des timbres
à apposer sur le vent
en partance pour l'île des anges

Vieil enfant

peau de carton brun
boîte de rêves oubliés
au fond du quotidien

barbe de poussière
barde muet
musique des jours perdus

et soudain le sourire d'un enfant
derrière ce masque mortuaire
un enfant qui regarde ce que nul ne voit
de ses yeux couleur de ciel d'une heure inconnue
dans l'alignement des planètes de la rue

Abordage

étoile rouge
ecchymose à la joue
s'approchant
s'excusant
les mots coincés dans l'iris prédateur
comme les mains dans les poches

pourchassant le passant sans le suivre
son malheur secret
sa demande jamais formulée

brève apparition
un être humain
en somme

je ne saurai jamais ce qu'il voulait

Deux photos

je garde de toi
deux photos en noir et blanc

une de notre enfance
dans une ville que j'ai quittée
à l'âge de onze ans
sans jamais te revoir

l'autre
une coupure de journal
trouvée par hasard
ton avis de décès
à quarante ans

entre ces deux photos
pour moi
tu n'as jamais vieilli

Bouffée de soleil

les traits exacts de son visage
je ne m'en souviendrai pas vraiment
ni comment elle était vêtue
l'inconnue
ce matin-là de juin
quand je l'ai croisée sur la rue

reste la façon dont sa chevelure dorée
de biais s'est soulevée à mon approche
peut-être le sourire de son bref regard

mais par-dessus tout
au moment précis où je l'ai croisée
le parfum des rosiers juste à côté

La jeune femme et les outardes

assise sur une pierre millénaire
les jambes croisées sur ses secrets
elle balance ses pieds dans l'eau

les rapides heurtent la rive sans s'arrêter
mais lancent en passant à la jeune femme
des gerbes blanches comme son bikini

des outardes se dandinent vers elle
l'entourent et grimpent sur la pierre

la jeune femme leur jette quelques miettes
et quand elles reviennent à la charge
les arrose de ses mains en riant

Vitrine

il parle et elle regarde
ailleurs
de l'autre côté de la vitrine
de ce restaurant
vers la rue
vers celui qui marche

son visage insiste pour partir avec lui
c'est l'heure où la terre s'amène
à la hauteur du soleil
où l'ombre ne calcule plus la distance
la séparant de la vie

Les âmes du crépuscule

dans l'air bleu du soir
le jour fait encore sentir sa présence
sa blessure éclaire la scène
un stationnement désert
le solstice d'été pour décor

sur un balcon une femme
en robe de chambre
sous le balcon un homme
à la flamme d'un lampadaire
montre à la femme sa cravate
en carton peint

leurs sourires flottent au bord de la nuit

Incarnation

le rythme lent du blues
en harmonie avec le flot des passants
une joie déplacée
dans l'ordre immuable de la douleur

pour rejoindre l'onde de choc de la terre
ardeur animale
une fille danse sur le trottoir

sur son visage convulsé
la ville souffle son haleine chaude
aux mille senteurs étoilées

Un homme et une femme et l'éternité

deux silhouettes surgissent de l'ombre
zigzaguent dans la rue bras dessus bras dessous
on dirait deux ivrognes en tournée

quand leurs pas rencontrent la lumière
on voit un homme et une femme
simplement ivres d'être ensemble

cette image se met à brûler
un vent d'été agite la flamme des regards

issu de la nuit
un couple marche vers ses cendres

Le mouvement du monde

j'entends d'autres voix
dans la flamme des silhouettes
les visages couvent des trains de paysages

la vie
l'amour
la mort
forment des arabesques de couleurs
traversant les époques et les continents
dans un espace plus vaste
que la géométrie des lieux
et tous les chemins tracés
sur les nappes du silence
pour faire basculer les décors quotidiens
au hasard des émotions

ces boîtes à surprises
chargées de merveilles
et de bombes

L'au-delà du quotidien

Convulsions

la nuit le vent n'est pas le même que le jour

parfois un seul arbre se met à frissonner
de toutes ses feuilles
et parfois le même envoûtement
s'empare d'un deuxième arbre
pendant que les autres restent immobiles

on les dirait figés d'inquiétude
le long de la rue solitaire

corps étendu
dans le lit des astres hors de portée

Courir avec le vent

par-delà les toits et les collines
je cherche ton regard dans le bleu de l'errance

le vent fait gémir tes pas
pendant que tu cours avec lui
après la vie qui s'échappe

j'aime quand tu souris aux étoiles
la tête renversée
les bras ouverts
en avalant tout l'air du ciel et de la terre

comme pour la première fois
ou la dernière

je trempe mes doigts dans ta chevelure
une rivière à la brunante
l'au-delà du quotidien

et parfois
quand tu ne me vois plus
ton visage un ciel couvert
je cours avec le vent à tes côtés

contre mon cœur
je serre nos meilleurs moments
pour ne pas les échapper

La solitude des lumières

scintillement sans frontières
de la ville et des êtres qui l'habitent
braises des jours
montés au ciel

petites lumières
aussi minuscules que des balles
qui peuvent tuer
aussi minuscules
que des lueurs d'espoir

la nuit se recueille
devant une image de nous
côte à côte
dans la réflexion de la porte vitrée

comme elles ont l'air seules
toutes ces petites lumières
éparpillées dans l'obscurité

je suis seul comme toi
un signal lumineux

dans le marécage de l'espace
des nids d'étoiles
à l'abri du temps

l'amour une rosée d'été
suspendue pour toujours
aux lèvres de la nuit

à hauteur d'homme et de femme
sous les étincelles écrasées contre l'air
des rues étuve et brasero
la forte odeur de la vie

Réminiscences

le décor de la nuit
comme un drap
a gardé l'empreinte de ton corps

ton désir émanait d'un ange
combattu par mille réticences

je revois les ombres chamboulées d'oiseaux
aux ailes de néon dans l'air de ta bouche

tes yeux donnaient sur des ruelles obscures
où le crime se déshabillait de ses horreurs
pour trembler dans les bras de l'automne
et se frotter à la musique des flammes

Le pollen du ciel

entre neige et pluie
parmi les derniers noctambules
glissent nos ombres
tournées vers le ciel
vers un rayonnement rose
comme un paysage de corail
que personne d'autre ne semble voir
au fond des yeux de la nuit

frémissement des phares
les derniers mots s'échangent en silence
un nuage fait le bouche à bouche à la terre

nous sommes une création de la bruine
ce pollen du ciel

Les femmes de l'hiver

un œil en proie à un blizzard
l'autre étincelant de soleil sur la neige

leur main tendue
une page blanche
leur sourire
un astre déjà vu
mais toujours luisant d'inconnu

on les prend dans ses bras
ces anges en chute libre
les femmes de l'hiver

on valse avec elles
sans jamais savoir
lequel des deux berce l'autre
dans l'haleine embuée des soirs transis
étoilés du givre de leurs larmes

sœurs de chair des nuages
la glace brisée
elles repartent

au moment même
où l'on perd pied

des images rongées par le feu
laissent des traces dans l'obscurité

on les a aimées
comme on aime le printemps
en plein cœur de l'hiver

Lames de fond

je t'appellerai
pour te parler de la glace
qui recouvre ma vie
et sur laquelle je patine
en souriant aux astres

je suis l'ombre étirant son pas
jusqu'à la lumière

dans une phrase figée
un glissement de sens

je deviens cette eau vive
que le froid n'arrive pas à arrêter

mon corps
en mouvement
a la force des rapides

parmi les couples aux petits pas hésitants
les tourbillons d'adolescents dans le soir écho
et les solitaires en méditation
sur les lames de fond de la beauté de vivre

je t'appellerai pour te dire
que les ponts illuminés du canal Rideau
me font une auréole trop grande

je préfère ta flamme
dans le bleu de l'obscurité

Table des matières